让多边主义的火炬照亮人类前行之路

——在世界经济论坛“达沃斯议程”对话会上的特别致辞

（2021年1月25日）

习　近　平

人　民　出　版　社

让多边主义的火炬
照亮人类前行之路

——在世界经济论坛“达沃斯议程”对话会上的特别致辞

（2021 年 1 月 25 日，北京）

中华人民共和国主席　习近平

尊敬的施瓦布主席，

女士们，先生们，朋友们：

过去一年，突如其来的新冠肺炎疫情肆虐全球，全球公共卫生面临严重威胁，世界经济陷入深度衰退，人类经历了史上罕见的多重危机。

这一年，各国人民以巨大的决心和勇气，同病魔展开殊死搏斗，依靠科学理性的力量，弘扬人道主义精神，全球抗疫取得初步成效。现在，疫情还远未结束，近期又出现反弹，抗疫仍在继续，但我们坚信，寒冬阻挡不了春天的脚步，黑夜遮蔽不住黎明的曙光。人类一定能够战胜疫情，在同灾难的斗争中成长进步、浴火重生。

女士们、先生们、朋友们！

历史总在不断前进，世界回不到从前。我们今天所作的每一个抉择、采取的每一项行动，都将决定世界的未来。我们要解决好这个时代面临的四大课题。

第一，加强宏观经济政策协调，共同推动世界经济强劲、可持续、平衡、包容增长。人类正在遭受第二次世界大战结束以来最严重的经济衰退，各大经济板块历史上首次同时遭受重创，全球产业链供应链运行受阻，贸易和投资活动持续低迷。各国出台数万亿美元经济救助措施，但世界经济复苏势头仍然很不稳定，前景存在很大不确定性。我们既要把握当下，统筹疫情防控和经济发展，加强宏观经济政策支持，推动世界经济早日走出危机阴影，更要放眼未来，下决心推动世界经济动力转换、方式转变、结构调整，使世界经济走上长期健康稳定发展的轨道。

第二，摒弃意识形态偏见，共同走和平共处、互利共赢之路。世界上没有两片完全相同的树叶，也没有完全相同的历史文化和社会制度。各国历史文化和社会制度各有千秋，没有高低优劣之分，关键在于是否符合本国国情，能否获得人民拥护和支持，能否带来政治稳定、社会进步、民生改善，能否为人类进步事业作出贡献。各国历史文化和社会制度差异自古就存在，是人类文明的内在属性。没有多样性，就没有人类文明。多样性是客观现实，将长期存在。差异并不可怕，可怕的是傲慢、偏见、仇视，可怕的是想把人类文明分为三六九等，可怕的是把自己的历史文化和社会制度强加给他人。各国应该在相互尊重、求同存异基础上实现和平共处，促进各国交流互鉴，为人类文明发展进步注入动力。

第三，克服发达国家和发展中国家发展鸿沟，共同推动各国发展繁荣。当前，公平问题日益突出，南北差距有待弥合，可持续发展事业面临严峻挑战。疫情之下，各国经济复苏表现分化，南北发展差距面临扩大甚至固化风险。广大发展中国家普遍期望获得更多发展资源和空间，要求在全球经济治理中享有更多代表性和发言权。应该看到，发展中国家发展起来了，整个世界繁荣稳定就会有更加坚实的基础，发达国家也将从中受益。国际社会应该着眼长远、落实承诺，为发展中国家发展提供必要支持，保障发展中国家正当发展权益，促进权利平等、机会平等、规则平等，让各国人民共享发展机遇和成果。

第四，携手应对全球性挑战，共同缔造人类美好未来。在经济全球化时代，类似新冠肺炎疫情的突发公共卫生事件绝不会是最后一次，全球公共卫生治理亟待加强。地球是人类赖以生存的唯一家园，加大应对气候变化力度，推动可持续发展，关系人类前途和未来。人类面临的所有全球性问题，任何一国想单打独斗都无法解决，必须开展全球行动、全球应对、全球合作。

女士们、先生们、朋友们！

世界上的问题错综复杂，解决问题的出路是维护和践行多边主义，推动构建人类命运共同体。

——我们要坚持开放包容，不搞封闭排他。多边主义的要义是国际上的事由大家共同商量着办，世界前途命运由各国共同掌握。在国际上搞"小圈子"、"新冷战"，排斥、威胁、恐吓他人，动不动就搞脱钩、断供、制裁，人为造成相互隔离甚至隔绝，只能把世界推向分裂甚至对抗。一个分裂的世界无法应对人类面临的共同挑战，对抗将把人类引入死胡同。在这个问题上，人类付出过惨痛代价。殷鉴不远，我们决不能再走那条老路。

我们要秉持人类命运共同体理念，坚守和平、发展、公平、正义、民主、自由的全人类共同价值，摆脱意识形态偏见，最大程度增强合作机制、理念、政策的开放性和包容性，共同维护世界和平稳定。要建设开放型世界经济，坚定维护多边贸易体制，不搞歧视性、排他性标准、规则、体系，不搞割裂贸易、投资、技术的高墙壁垒。要巩固二十国集团作为全球经济治理主要平台的地位，密切宏观经济政策协调，维护全球产业链供应链稳定顺畅，维护全球金融体系稳健运行，推进结构性改革，扩大全球总需求，推动世界经济实现更高质量、更有韧性的发展。

——我们要坚持以国际法则为基础，不搞唯我独尊。中国古人讲："法者，治之端也。"国际社会应该按照各国共同达成的规则和共识来治理，而不能由一个或几个国家来发号施令。联合国宪章是公认的国与国关系的基本准则。没有这些国际社会共同制定、普遍公认的国际法则，世界最终将滑向弱肉强食的丛林法则，给人类带来灾难性后果。

我们要厉行国际法治，毫不动摇维护以联合国为核心的国际体系、以国际法为基础的国际秩序。多边机构是践行多边主义的平台，也是维护多边主义的基本框架，其权威性和有效性理应得到维护。要坚持通过制度和规则来协调规范各国关系，反对恃强凌弱，不能谁胳膊粗、拳头大谁说了算，也不能以多边主义之名、行单边主义之实。要坚持原则，规则一旦确定，大家都要有效遵循。“有选择的多边主义”不应成为我们的选择。

——我们要坚持协商合作，不搞冲突对抗。各国历史文化和社会制度差异不是对立对抗的理由，而是合作的动力。要尊重和包容差异，不干涉别国内政，通过协商对话解决分歧。历史和现实一再告诉我们，当今世界，如果走对立对抗的歧路，无论是搞冷战、热战，还是贸易战、科技战，最终将损害各国利益、牺牲人民福祉。

我们要摒弃冷战思维、零和博弈的旧理念，坚持互尊互谅，通过战略沟通增进政治互信。要恪守互利共赢的合作观，拒绝以邻为壑、自私自利的狭隘政策，抛弃垄断发展优势的片面做法，保障各国平等发展权利，促进共同发展繁荣。要提倡公平公正基础上的竞争，开展你追我赶、共同提高的田径赛，而不是搞相互攻击、你死我活的角斗赛。

——我们要坚持与时俱进，不搞故步自封。

世界正在经历百年未有之大变局，既是大发展的时代，也是大变革的时代。21世纪的多边主义要守正出新、面向未来，既要坚持多边主义的核心价值和基本原则，也要立足世界格局变化，着眼应对全球性挑战需要，在广泛协商、凝聚共识基础上改革和完善全球治理体系。

我们要发挥世界卫生组织作用，构建人类卫生健康共同体。要推进世界贸易组织和国际金融货币体系改革，促进世界经济增长，保障发展中国家发展权益和空间。要秉持以人为中心、基于事实的政策导向，探讨制定全球数字治理规则。要落实应对气候变化《巴黎协定》，促进绿色发展。要坚持发展优先，落实联合国2030年可持续发展议程，确保各国特别是发展中国家分享全球发展带来的好处。

女士们、先生们、朋友们！

中国人民经过长期艰苦奋斗，全面建成小康社会胜利在望，脱贫攻坚取得历史性成果，开启了全面建设社会主义现代化国家新征程。我们将立足新发展阶段，贯彻新发展理念，积极构建以国内大循环为主体、国内国际双循环相互促进的新发展格局，同各国一道，共建持久和平、普遍安全、共同繁荣、开放包容、清洁美丽的世界。

——中国将继续积极参与国际抗疫合作。抗击疫情是国际社会面临的最紧迫任务。这既是坚持人民至上、生命至上的基本要求，也是稳定恢复经济的基本前提。我们要深化团结合作，加强信息共享和联防联控，坚决打赢全球疫情阻击战。特别是要加强疫苗研发、生产、分配合作，让疫苗真正成为各国人民用得上、用得起的公共产品。中国迄今已向 150 多个国家和 13 个国际组织提供抗疫援助，为有需要的国家派出 36 个医疗专家组，积极支持并参与疫苗国际合作。中国将继续同各国分享疫情防控有益经验，向应对疫情能力薄弱的国家和地区提供力所能及的帮助，促进疫苗在发展中国家的可及性和可负担性，助力世界早日彻底战胜疫情。

——中国将继续实施互利共赢的开放战略。

经济全球化是社会生产力发展的客观要求和科技进步的必然结果，利用疫情搞“去全球化”、搞封闭脱钩，不符合任何一方利益。中国始终支持经济全球化，坚定实施对外开放基本国策。中国将继续促进贸易和投资自由化便利化，维护全球产业链供应链顺畅稳定，推进高质量共建“一带一路”。中国将着力推动规则、规制、管理、标准等制度型开放，持续打造市场化、法治化、国际化营商环境，发挥超大市场优势和内需潜力，为各国合作提供更多机遇，为世界经济复苏和增长注入更多动力。

——中国将继续促进可持续发展。中国将全面落实联合国2030年可持续发展议程。中国将加强生态文明建设，加快调整优化产业结构、能源结构，倡导绿色低碳的生产生活方式。我已经宣布，中国力争于2030年前二氧化碳排放达到峰值、2060年前实现碳中和。实现这个目标，中国需要付出极其艰巨的努力。我们认为，只要是对全人类有益的事情，中国就应该义不容辞地做，并且做好。中国正在制定行动方案并已开始采取具体措施，确保实现既定目标。中国这么做，是在用实际行动践行多边主义，为保护我们的共同家园、实现人类可持续发展作出贡献。

——中国将继续推进科技创新。科技创新是人类社会发展的重要引擎，是应对许多全球性挑战的有力武器，也是中国构建新发展格局、实现高质量发展的必由之路。中国将加大科技投入，狠抓创新体系建设，加速科技成果向现实生产力转化，加强知识产权保护，推动实现依靠创新驱动的内涵型增长。科技成果应该造福全人类，而不应该成为限制、遏制其他国家发展的手段。中国将以更加开放的思维和举措推进国际科技交流合作，同各国携手打造开放、公平、公正、非歧视的科技发展环境，促进互惠共享。

——中国将继续推动构建新型国际关系。你输我赢、赢者通吃不是中国人的处世哲学。中国坚定奉行独立自主的和平外交政策，努力以对话弥合分歧、以谈判化解争端，在相互尊重、平等互利基础上，积极发展同各国友好合作关系。作为发展中国家的坚定一员，中国将不断深化南南合作，为发展中国家消除贫困、缓解债务压力、实现经济增长作出贡献。中国将更加积极地参与全球经济治理，推动经济全球化朝着更加开放、包容、普惠、平衡、共赢的方向发展。

女士们、先生们、朋友们！

人类只有一个地球，人类也只有一个共同的未来。无论是应对眼下的危机，还是共创美好的未来，人类都需要同舟共济、团结合作。实践一再证明，任何以邻为壑的做法，任何单打独斗的思路，任何孤芳自赏的傲慢，最终都必然归于失败！让我们携起手来，让多边主义火炬照亮人类前行之路，向着构建人类命运共同体不断迈进！

谢谢大家。

图书在版编目(CIP)数据

让多边主义的火炬照亮人类前行之路:在世界经济论坛“达沃斯议程”对话会上的特别致辞/习近平 著. —北京:人民出版社,2021.2

ISBN 978-7-01-023182-2

Ⅰ.①让… Ⅱ.①习… Ⅲ.①习近平-讲话-学习参考资料 ②世界经济-学习参考资料③国际形势-学习参考资料 Ⅳ.①D2-0②F11③D5

中国版本图书馆CIP数据核字(2021)第030804号

(RMC-ZJDXI-106-20210125)

让多边主义的火炬照亮人类前行之路

RANG DUOBIAN ZHUYI DE HUOJU ZHAOLIANG RENLEI QIANXING ZHI LU

——在世界经济论坛“达沃斯议程”对话会上的特别致辞

(2021年1月25日)

习 近 平

人民出版社 出版发行
(100706 北京市东城区隆福寺街99号)

北京新华印刷有限公司印刷 新华书店经销

2021年2月第1版 2021年2月北京第1次印刷
开本:880毫米×1230毫米 1/32 印张:0.5
字数:6千字

ISBN 978-7-01-023182-2 定价:2.00元

邮购地址 100706 北京市东城区隆福寺街99号
人民东方图书销售中心 电话 (010)65250042 65289539